# Un[e]
# de robe !

Elsa Devernois • Mérel

Rachid le timide

Mélanie la chipie

Pacha le chat

Pascale la géniale

Arthur le gros dur

**ES-tu prêt pour une nouvelle aventure ? Eh bien, commençons !**

Ah, j'y pense! les mots suivis d'un ☼ sont expliqués à la fin de l'histoire.

Aujourd'hui, Pascale
peint son vélo. Il sera plus joli
en rouge et en bleu.

Maintenant, le vélo est comme neuf.
Mais la salopette de Pascale, elle,
est toute sale !

# Une drôle de robe !

Pascale met ses habits dans
la machine à laver.

– Oh ! Oh ! Il reste de la place !
se dit-elle.

Et hop ! elle part chercher d'autres
vêtements.

Mais Mélanie arrive à son tour.
Comme elle va à un bal ce soir,
elle veut une robe propre.

Elle la met dans la machine
et appuie sur le bouton « marche ».

# Une drôle de robe !

Un peu plus tard, Pascale sort le linge de la machine.

– C'est terrible! s'écrie-t-elle.

Mes affaires ont déteint sur la robe de Mélanie. Elle va être très en colère.

# Une drôle de robe !

Pascale appelle ses amis à l'aide :
– Comment peut-on réparer
cette bêtise ?

Tu veux connaître
la suite de l'histoire ?
Alors, suis-moi...

Rachid propose :

– On peut coudre des fausses fleurs
un peu partout pour cacher les taches.

– Ce sera trop long, répond Pascale.

– Mélanie n'a qu'à mettre son pull rose par-dessus, continue Rachid.

17

# Une drôle de robe !

– Elle peut aussi s'enrouler dans un tapis, propose Arthur.
– Elle va ressembler à un rôti ! dit Gafi. Moi, j'ai une autre idée !

Quelle est l'idée de Gafi ?

– Je vais lui prêter un drap. Ça lui fera une robe toute propre, toute blanche.

Justement, voilà Mélanie.

– Tu vas être fâchée,
lui annonce Pascale. Ta robe
s'est salie dans la machine.

# Une drôle de robe !

– Mais non, Elle est géniale !

s'écrie Mélanie. Avant, elle ressemblait

à une robe de princesse. Maintenant,

c'est une vraie robe pour danser

la salsa.

Mélanie est ravie.
Youpi ! Elle va avoir la robe
la plus originale du bal !

c'est fini !

Certains mots sont peut-être difficiles à comprendre. Je vais t'aider !

**Déteindre** : perdre ses couleurs sur un autre vêtement.

**Salsa** : danse très rapide qui vient d'une île appelée Cuba.

**Original** : un peu bizarre, qui n'est pas comme tout le monde.

27

AS-tu aimé
mon histoire ?
Jouons ensemble,
maintenant !

# Défilé de mode !

**Retrouve qui a proposé ces robes
pour remplacer celle de Mélanie.**

Une robe
« tapis »

Une robe
« pull »

Une robe
« drap »

*Réponse : Arthur a proposé la robe « tapis » ; Gaff, la robe « drap » ; Rachid, la robe « pull ».*

# En place !

Dans le monde entier, il y a beaucoup de danses.
Trouve les danses ci-dessous en t'aidant du code :

♫ = a      ♩ = i

♪ = o      ♩ = e

s♫ls♫

m♫mb♪

t♪ng♪

s♫mb♫

ch♫-ch♫

*Réponse* : les danses sont : le mambo (c'est une danse qui vient de Cuba), la salsa, le tango (qui vient d'Argentine), la samba (qui vient du Brésil) et le cha-cha (qui se dit aussi cha-cha-cha et qui vient du Mexique).

29

# La fièvre du samedi soir !

**Retrouve l'ombre de Mélanie.**

*Réponse :* l'ombre de Mélanie est l'ombre n°3.

# tourbillon !!

Que s'est-il passé au bal ? Pour le savoir,
place le livre devant un miroir !

Mélanie
a été élue
reine du bal !

# Dans la même collection
Illustrée par Mérel

### Je commence
### à lire

1- *Qui a fait le coup ?* Didier Jean et Zad • 2- *Quelle nuit !* Didier Lévy • 3- *Une sorcière dans la boutique,* Mymi Doinet • 4- *Drôle de marché !* Ann Rocard • 15- *Bon anniversaire, Gafi !* Arturo Blum • 16- *La fête de la maîtresse,* Fanny Joly • 23- *Gafi et le magicien,* Arturo Blum • 24- *Le robot amoureux,* Stéphane Descornes • 29- *Une drôle de robe !* Elsa Devernois • 30- *Pagaille chez le vétérinaire !* Stéphane Descornes

### Je lis

5- *Gafi a disparu,* Didier Lévy • 6- *Panique au cirque !* Mymi Doinet • 7- *Une séance de cinéma animée,* Ann Rocard • 8- *Un sacré charivari,* Didier Jean et Zad • 13- *Le château hanté,* Stéphane Descornes • 14- *Attention, travaux !* Françoise Bobe • 19- *Mystère et boule de neige,* Mymi Doinet • 20- *Le voleur de bonbons,* Didier Jean et Zad • 25- *Le roi de la patinoire,* Didier Lévy • 26- *Qui a mangé les crêpes ?* Anne Ferrier • 31- *Le passager mystérieux,* Françoise Bobe • 32- *Un fantôme à New York,* Didier Lévy

### Je lis
### tout seul

9- *L'Ogre qui dévore les livres,* Mymi Doinet • 10- *Un étrange voyage,* Ann Rocard • 11- *La photo de classe,* Didier Jean et Zad • 12- *Repas magique à la cantine,* Didier Lévy • 17- *La course folle,* Elsa Devernois • 18- *Sauvons Pacha !* Laurence Gillot • 21- *Bienvenue à bord !* Ann Rocard • 22- *Gafi et le chevalier Grocosto,* Didier Lévy • 27- *Qui a kidnappé la Joconde ?* Mymi Doinet • 28- *Grands frissons à la ferme !* Didier Jean et Zad

## Directeur de collection et conseil pédagogique :
## Alain Bentolila

## Jeux conçus par Georges Rémond

© Éditions Nathan (Paris-France), 2007
Conforme à la loi n°49956 du 16 juillet 1949
sur les publications destinées à la jeunesse
ISBN 978-2-09-251338-5
N° éditeur : 10147529 - Dépôt légal : février 2008
Imprimé en France par Loire Offset Plus